A los niños les encanta el color, los dibujos y nombrar todo lo que ven. Si, además, pueden aprender a la vez que se divierten, ¿qué más se puede pedir?

Este libro es ideal para que el niño lo vea con un adulto, que irá explicando al niño cada palabra en inglés. Habrá numerosos objetos que reconozca, a la vez que irá descubriendo nuevas palabras desconocidas para él.

Las ilustraciones pequeñas ayudarán a que el niño aprenda nuevas palabras, y, además, a asociarlas con sus significados. Una vez conocido su significado, podrá buscarlas dentro de la ilustración grande, asegurándose así el adulto que el niño ha asimilado correctamente el significado de cada palabra.

Además, las rimas que acompañan a cada ilustración ayudarán a los niños a comprender cada situación de un modo más claro.

Según van avanzando las páginas, el niño irá buscando los objetos a lo largo de todo el libro. Finalmente, podrás enseñarle el índice completo de palabras, que aparecen en orden alfabético, y el niño buscará los objetos por todo el libro.

Una de las formas más educativas de usar el libro es demostrándole al niño que el adulto también disfruta con él.

Esperamos que lo paséis bien.

Mis Primeras 1000 palabras

ediciones
SALDAÑA, S.A.

Publicado por Ediciones Saldaña, S.A.
Pol. Lintzirin-Gaina, parcela B-3
20180 OIARTZUN (Guipúzcoa)
ESPAÑA

Ilustradores:
Jordi Busquets
José Manuel Veiga

Impreso en Malasia

Índice general

zapatillas

despertador

trofeo

mesilla

cuento

almohada

armario

zapatos

bata

colchón

baúl

hucha

La habitación

juguete

percha

cama

calcetín

cubo

cortinas

El oso Gabriel, cuando se levanta cada mañana,
se viste su bonita ropa y se quita el pijama.

peluche

dados

lámpara

linterna

pijama

ventana

7

inodoro

papel

gel

taburete

bombilla

cortina

toa

alfombrilla

azulejo

ducha

cisterna

burbujas

El baño

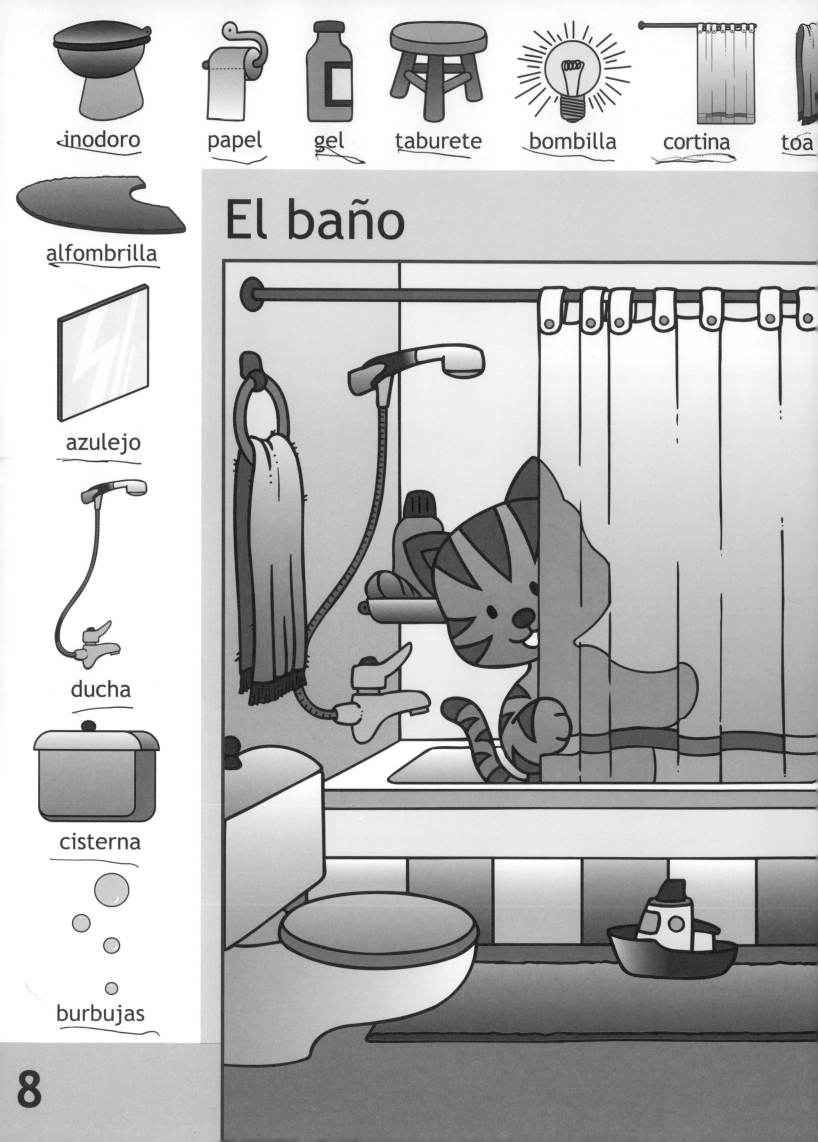

pasta   toallero   colonia   grifo   peine   cepillo

bañera

esponja

lavabo

espejo

jabón

champú

El gatito Félix se ducha para comenzar bien el día.
Pero no le gusta el agua, ni muy caliente ni muy fría.

9

cazuela

basurera

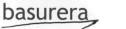
cubiertos

cafetera

plancha

salero

huevo frito

tostadora

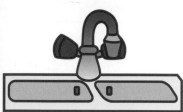
fregadera

escoba

horno

La cocina

10

rodillo   tostada   cucharilla   recogedor   sartén   tetrabrik   puchero

El osito Luis, que es una gran cocinero,
prepara deliciosos guisos en su puchero.

frigorífico

lavavajillas

tablero

bandeja

batidora

11

croissant

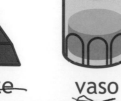

chocolate

vaso

taza

palillos

pastel

servilleta

mantequilla

cuchillo

magdalena

yogur

cereales

Aprende a poner la mesa

azúcar

bollo

vajilla

zumo

leche

Fito se ha anudado al cuello la servilleta.
Se dispone a merendar unos bollos, leche y galletas.

cuchara

galleta

tenedor

mermelada

plato

natillas

mantel

mapa

collar

dibujo

pegamento

puzzle

profesora

estuche

tijeras

carpeta

regla

gafas

ordenador

La clase

cartera   bolígrafo   plastilina   figuras   lápiz   persiana

pupitre

alfabeto

proyector

témperas

alumno

En la clase de manualidades todos muestran sus habilidades.
Fernando, dibujando; Miguel, con el pincel; y Cristina, con la plastilina.

sacapuntas

escuadra

témpera

paleta

goma

modelo

ceras

cuaderno   portaminas   brocha   carboncillo   puntafina

Para dibujar

plantilla

tinta

acuarelas

rotulador

tiralíneas

estilográfica

Para dibujar, existen muchos materiales:
pinceles, ceras, lápices, brochas, tintas especiales,…

pintura

compás

transportador

óleo

mezclador

lámina

17

insecto

algodón

fósil

mascarilla

borrador

renacuajo

cristales

esqueleto   fósforo   gráfica   embudo   tubo

El laboratorio

libreta   jaula   tarro   hornillo   extintor   probeta   tiza

e

En el laboratorio todos están atentos,
y podrán hacer importantes experimentos.

calculadora

pizarra

microscopio

termómetro

mesa

19

Las profesiones

astronauta

enfermera

botones

futbolista

carpintero

científica

cocinero

entrenadora

maestra

secretaria

bombero

actor

malabarista

mecánico

marinero

piloto

azafata

músico

médico

electricista

panadero

cantante

camarera

domador

canasta

peonza

reloj

altavoces

alarma

balón

muro

gorra

pastelito

yoyó

bocadillo

tobogán

El recreo

aro   canicas   fiambrera   molinete   sándwich   cometa

Suena el timbre. Ya es la hora del recreo:
todo el mudo juega: Javi, Pedro, María, Eva, Teo ...

foco

parabólica

frontón

campana

colegio

23

pareo

calcetines

vestido

tirantes

jersey

blusa

falda

casco

guantes

medias

calzoncillos

chaqueta

La ropa

24

sujetador

chaleco

pajarita

pantalón

chancletas

camisa

Una vez limpiada en la lavadora,
tender la ropa es una tarea agotadora.

traje

bragas

gabardina

pinza

chándal

polo

25

valla

pértiga

cronómetro

pesas

nudo

medall

anillas

calendario

barra

camiseta

colchoneta

salto

El gimnasio

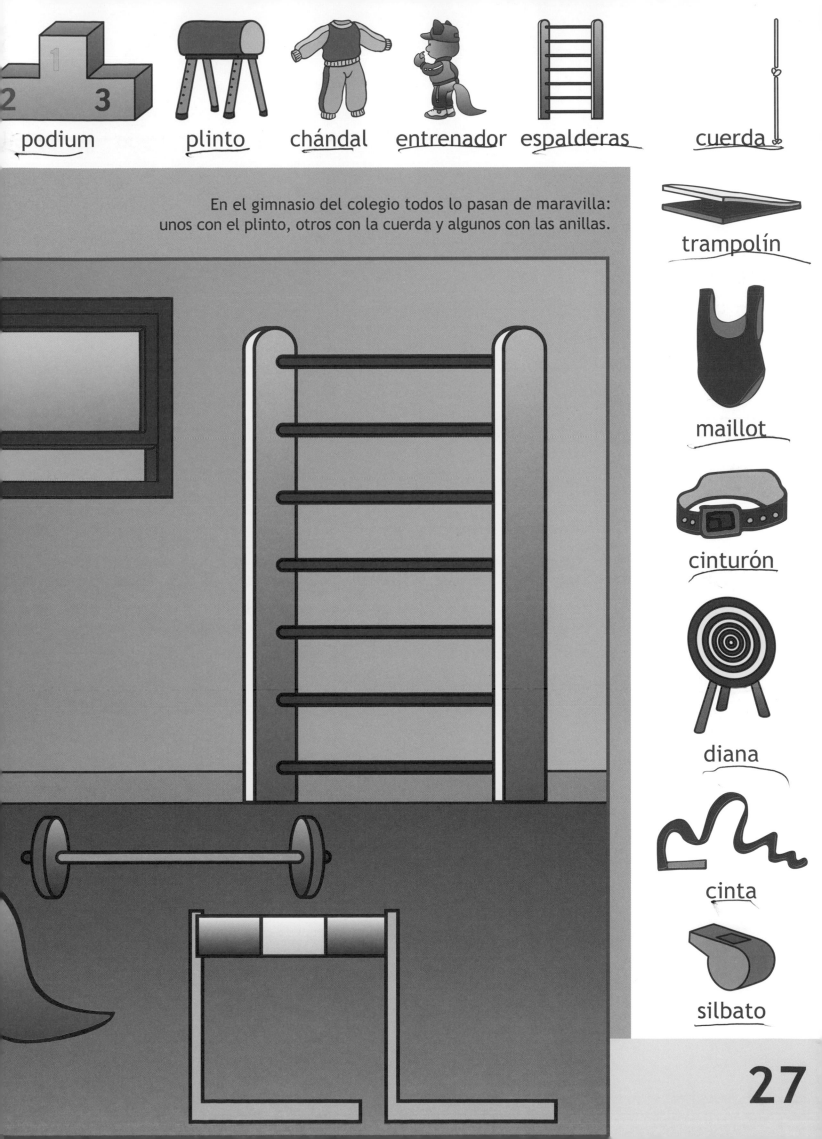

podium

plinto

chándal

entrenador

espalderas

cuerda

En el gimnasio del colegio todos lo pasan de maravilla:
unos con el plinto, otros con la cuerda y algunos con las anillas.

trampolín

maillot

cinturón

diana

cinta

silbato

27

Los deportes

tenis

hípica

voleibol

natación

halterofilia

atletismo

bádminton

baloncesto

fútbol

piragüismo

esquí

patinaje

waterpolo

gimnasia

carrera de lanchas

balonmano

ciclismo

esgrima

lucha

rugby

judo

golf

motociclismo

hockey

helicóptero

bocina

cartel

edificio

coche

faro

deportivo

cruce

moto

señal

ambulancia

paso de cebra

La ciudad

balcón volante policía rueda semáforo maceta furgoneta

Antes de bajarse de la acera,
se deben mirar los dos lados de la carretera.

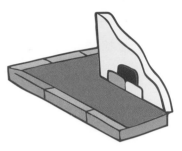

acera

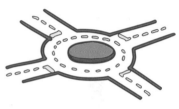

rotonda

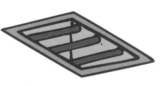

alcantarilla

estatua

bomberos

31

Los transportes

autobús

todoterreno

caravana

nave

cohete

ovni

barco

piragua

buque

carruaje

tranvía

patinete

cochecito

ciclomotor

triciclo

zepelín

parapente

ala delta

fragata

lancha

catamarán

submarino

carroza

camello

carro

33

alcachofa

pera

ajo

berenjena

champiñón

fresa

limón

balanza

nabo

puerro

tomate

frutero

Las frutas y verduras

coco   kiwi   manzana   naranja   patata   sandía   lechuga

Cuando en la granja están ricas y maduras,
se venden en la tienda las frutas y las verduras.

melón

plátano

piña

zanahoria

pimiento

35

Los alimentos

avellana

turrón

cacahuete

bacalao

lentejas

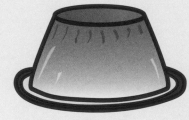
golosina

mango

batido

flan

judías

cerezas

bombón

guisantes

palomitas

endibia

sopa

lima

ensalada

aceitunas

bellota

dátil

higo

espárragos

espaguetis

conservas

pollo

bolsa

gancho

delantal

chuleta

chorizo

machete

congelador

carne

costilla

tocineta

báscula

La carnicería

embutido

gorro

muslo

hamburguesa

morcilla

queso

huevos

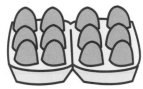
paté

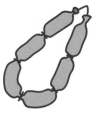
bistec

jamón

salchicha

carnicero

Hay de todo en la carnicería del oso Ramón:
chuletas, morcillas, huevos, chorizo y jamón.

39

paletilla

humo

dinero

chófer

paloma

tubería

cemento

cerradura

toldo

taxi

albañil

camión

La calle

escalera   buzón   carta   cartero   pala   kiosco   ladrillo

En esta calle hay todo tipo de trabajadores:
taxistas, carteros, albañiles y vendedores.

banco

pared

saco

periódico

farmacia

Los números

 0
~~cero~~

 1
~~uno~~

 2
~~dos~~

 3
~~tres~~

 4
~~cuatro~~

 5
~~cinco~~

 6
~~seis~~

 7
~~siete~~

 8
~~ocho~~

 9
~~nueve~~

~~primero~~

~~segundo~~

~~tercero~~

~~cuarto~~

~~quinto~~

42

10 diez

20 veinte

30 treinta

40 cuarenta

50 cincuenta

100 cien

500 quinientos

1000 mil

1000000 millón

sexto

séptimo

octavo

noveno

décimo

Las formas

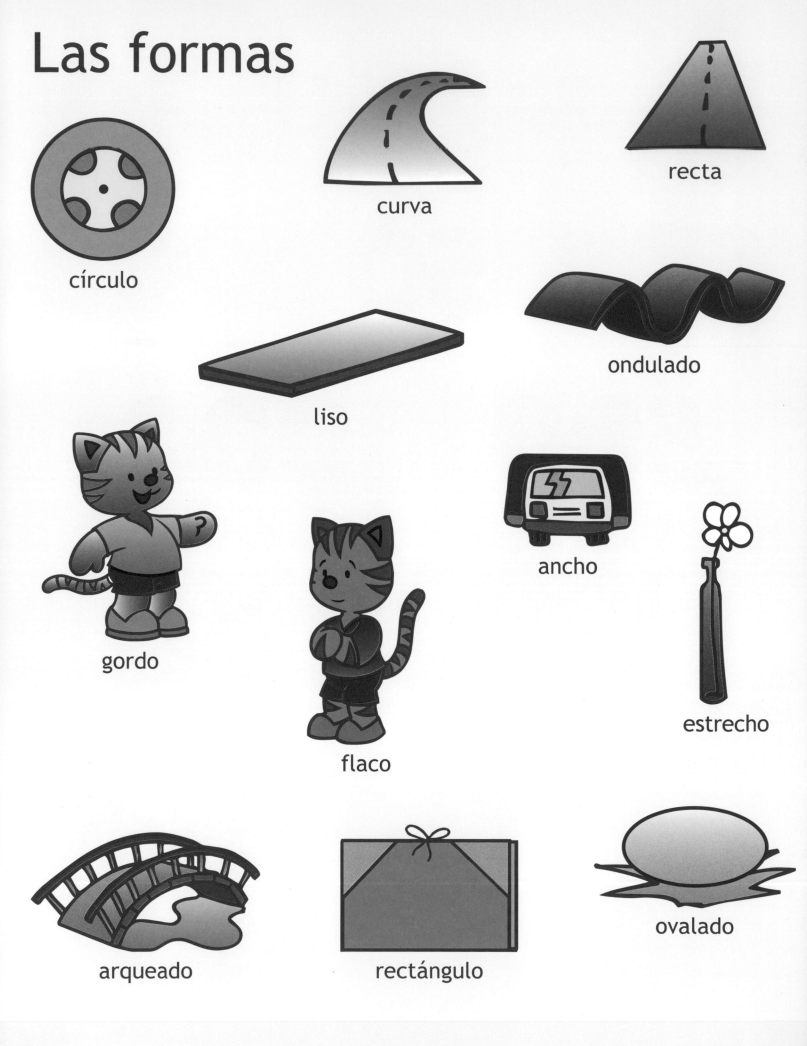

círculo

curva

recta

liso

ondulado

gordo

flaco

ancho

estrecho

arqueado

rectángulo

ovalado

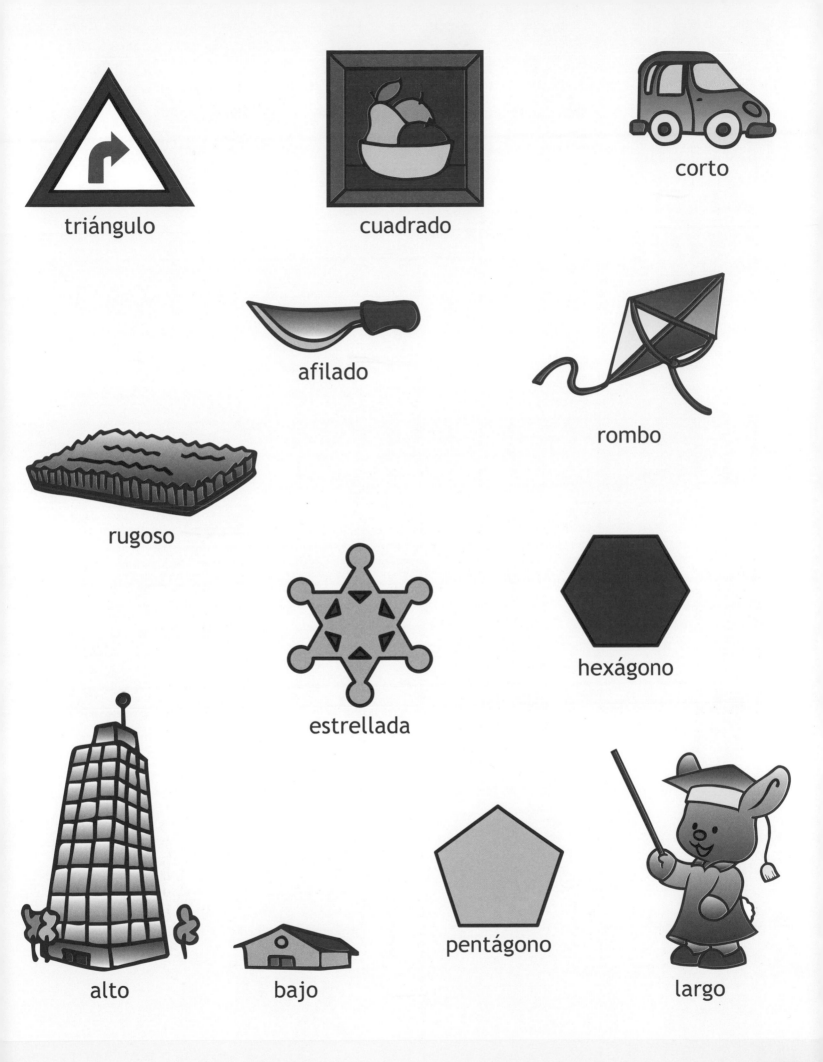

triángulo

cuadrado

corto

afilado

rombo

rugoso

estrellada

hexágono

alto

bajo

pentágono

largo

45

árbol

hoja

nido

fuente

flor

lagartija

corbat

lienzo

ciudad

patines

pintor

vagón

El parque

caballete   bicicleta   barrendero   careta   payaso   avión

El lugar más bonito de la ciudad es el parque,
con sus flores, sus árboles, sus animalitos y su estanque.

monopatín

revista

jardín

pincel

sombrero

tren

47

Las estaciones

febrero

marzo

invierno

nieve

granizo

abril

mayo

junio

primavera

tormenta

tornado

julio

agosto

septiembre

arcoiris   sol

verano

octubre

noviembre

diciembre

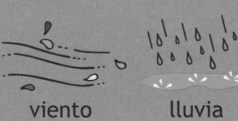

viento   lluvia

otoño

repollo

tractor

cesta

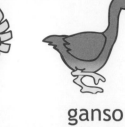

pavo

ganso

gato

carreta

pico

tejado

hacha

leña

remolque

La granja

50

azada · labrador · pony · establo · gallo · pozo · avioneta

En la granja del oso Fran hay todo tipo de animales: caballos en los establos, gatos en los tejados y gallinas en los corrales.

huerta

cigüeña

ratón

barril

serrucho

gallina

cerdo

chimenea

oca

carretilla

caseta

gallinero

bol

pestillo

gusano

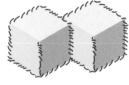

paja

granero

El corral

palomar granjera abeja junco miel pato pollitos

El granjero Pablo, cuida de los animales del establo.
La granjera Josefina, alimenta a las gallinas.

veleta

silo

rastrillo

estanque

pienso

Las partes del cuerpo

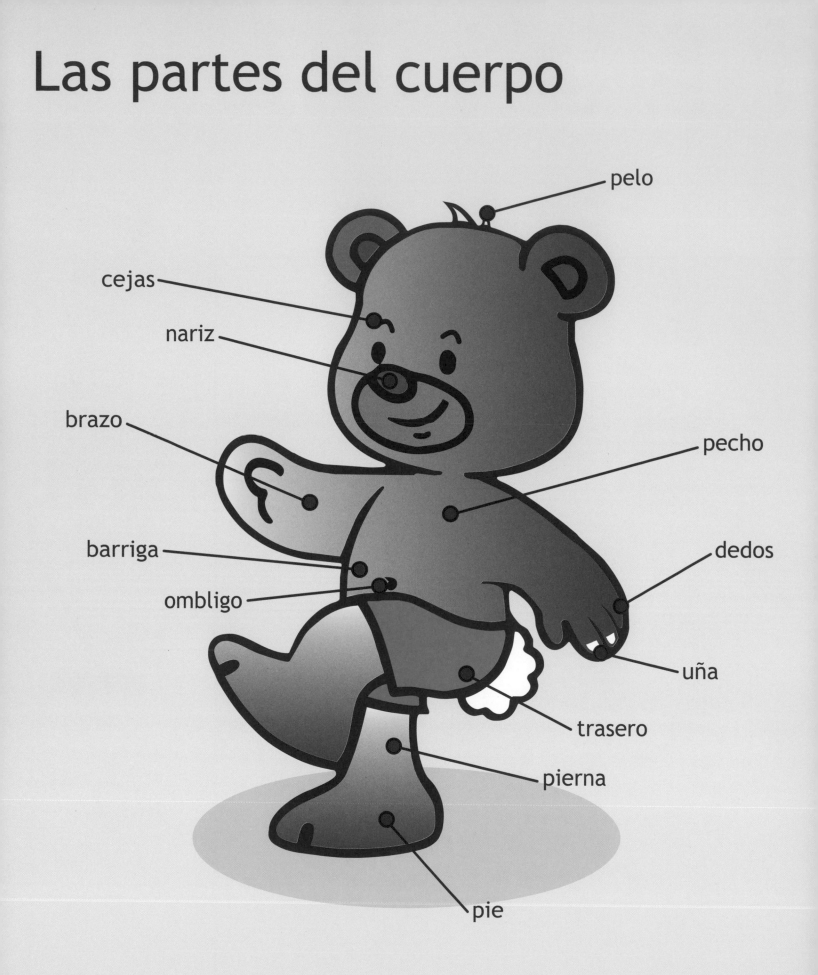

pelo

cejas

nariz

brazo

pecho

barriga

dedos

ombligo

uña

trasero

pierna

pie

cabeza

frente

ojo

oreja

boca

cuello

hombro

mano

codo

muñeca

rodilla

tobillo

potro

saltamontes

conejo

mariposa

vaca

mariquita

margarita

cencerro

rama

pradera

perro

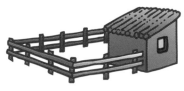

redil

El campo

ardilla   bastón   oveja   cabra   pastor   zorro

cabaña

El pastor Manuel cuida de sus ovejas en la pradera.
Y, ayudado por su perro, se pasa allí la mañana entera.

hierba

caballo

montes

globo

rebaño

57

calabaza

girasol

uva

espantapájaros

sol

molino

arado

coliflor

cebolla

maíz

semillas

cosechadora

La cosecha

cerezas

cesto

espárragos

lechuga

guante

urraca

La recolectora trabaja satisfecha recogiendo la abundante cosecha.

cultivos

guadaña

recolectora

sapo

vid

planeador

Los animales

hormiga

koala

quetzal

canario

serpiente

chimpancé

cacatúa

llama

león

hipopótamo

yak

foca

cebra

ballena

impala

jirafa

erizo

búfalo

tiburón

canguro

flamenco

cocodrilo

elefante

61

trucha

remo

culebra

libélula

corcho

caracol

barca

nenúfar

rana

mosca

lombriz

golondrina

El lago

62

úho   pescador   hélice   anguila   abeto   anzuelo   cisne

El conejo Andrés se ha ido al lago a pescar un rato.
Y allí está, rodeado de ranas, cisnes, truchas y patos.

caña

motor

ciempiés

alce

arcoiris

63

Los colores

amarillo

morado

granate

verde

pistacho

azul

caqui

marrón

blanco

violeta

gris

negro

beige

dorado

marengo

rosa

rojo

turquesa

ocre

palisandro

plateado

celeste

fucsia

crema

65

arbusto

botas

piolet

pluma

prismáticos

setas

cruz

oso

tejón

rocas

montañero

bosque

La montaña

pino   águila   mochila   viento   salmón   nube

jabalí

nutria

cascada

ciervo

puente

En la montaña se pueden ver animales muy hermosos: ciervos, águilas, mariposas, tejones y hasta algún oso.

67

La bicicleta

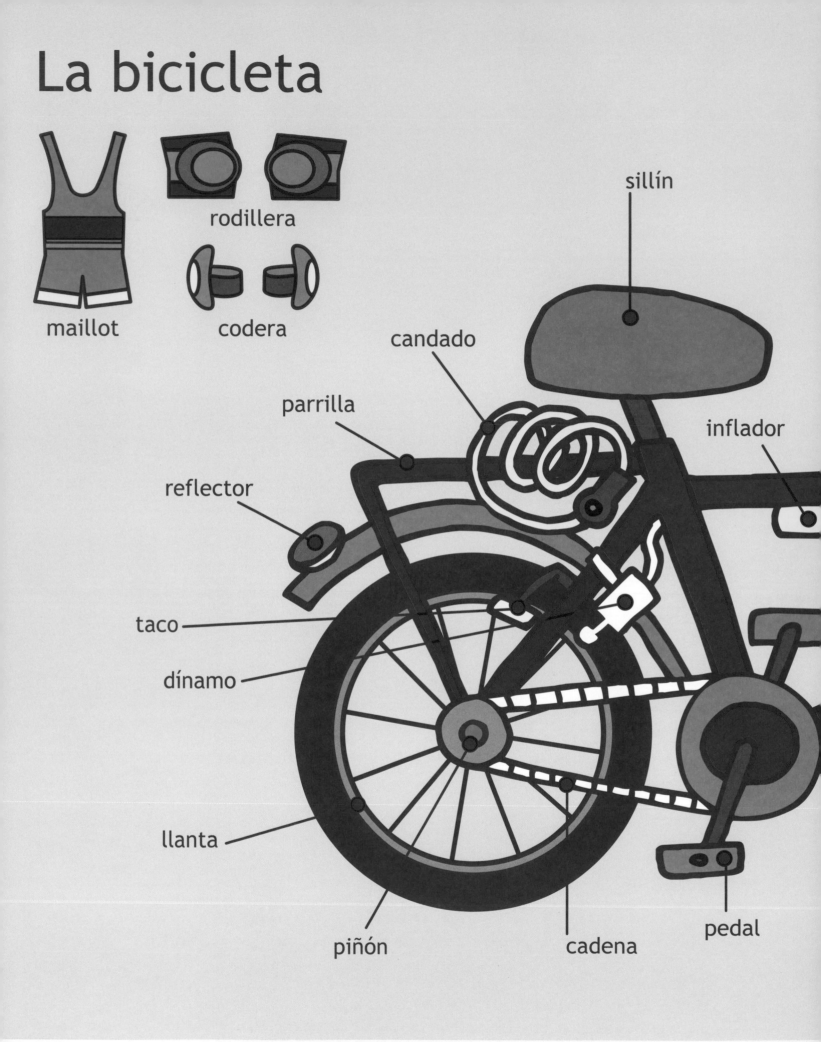

maillot

rodillera

codera

sillín

inflador

candado

parrilla

reflector

taco

dínamo

llanta

piñón

cadena

pedal

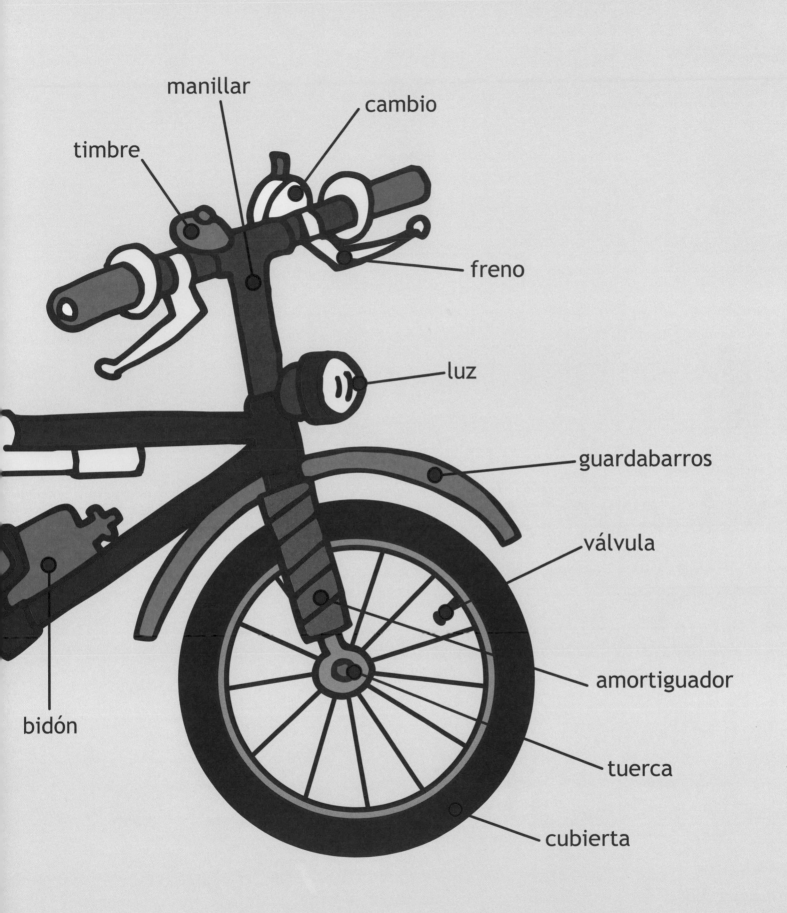

timbre

manillar

cambio

freno

luz

guardabarros

válvula

amortiguador

tuerca

cubierta

bidón

fogata

tetera

frasco

fuelle

paragüero

botijo

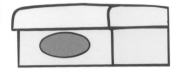

caja

comida

abrigo

estantería

esquís

trineo

El refugio

silla

jarra

marmita

rayo

bufanda

paraguas

radio

alfombra

nieve

bote

pan

retrato

Como en la montaña hace un tiempo infernal,
los montañeros se guarecen en su refugio invernal.

71

Los opuestos

grande

pequeño

frío

caliente

lleno

vacío

subir

sucio

limpio

bajar

lento

viejo

rápido

nuevo

dentro

fuera

arriba

abajo

derecho

torcido

encendido

apagado

73

velero

colchoneta

bañador

ancla

faro

abanico

caracola

bandera

La playa

pamela

salvavidas

concha

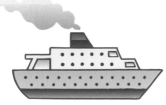

trasatlántico

74

raqueta   sombrilla   chancletas   flotador   bolso   gaviota

aletas

bronceador

velomar

pez

yate

tumbona

Mientras Agustín duerme en la colchoneta,
Jesús se divierte jugando con su cometa.

Los verbos

regar

correr

pintar

plantar

arreglar

patinar

pescar

comer

dormir

leer

conducir

cantar

reir

76

bostezar

bailar

jugar

llorar

vender

tocar

soplar

barrer

aplaudir

cocinar

tropezar

saludar

pesquero

estrella

calamar

langosta

pulpo

alga

tortuga

bombona

gamba

pez espada

rape

ostra

El mar

buceador medusa palmera coral delfín isla

Buceando por el fondo del mar, muchas cosas se pueden observar:
corales de colores, peces muy veloces, cangrejos con anteojos y delfines saltarines.

boya

cangrejo

mejillón

perla

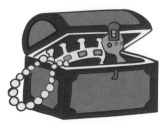

sardina

tesoro

79

sillón

frutero

cuadro

vela

plumero

teléfono

video

mando

bólido

enchufe

pulverizador

aspirador

El salón

llavero

antena

cojín

llave

libro

puerta

pecera

Después de cenar, el conejo Luis practica su mayor afición:
se sienta en el sillón, y observa atento la televisión.

auriculares

televisor

radiocassette

trapo

sofá

notas

trompeta

clarinete

partitura

platillos

xilófono

maracas

bombo

acordeón

tambor

violín

flauta

Los instrumentos

saxofón   batuta   pandereta   bandurria   trombón   teclado

En esta enorme orquesta hay todo tipo de instrumentos.
Unos son de percusión, otros de cuerda y unos pocos, de viento.

atril

violonchelo

piano

castañuelas

arpa

rosal

hamaca

pelota

casa

poste

automóvil

césped

cortacésped

lazo

filete

servilletas

valla

La barbacoa

botella vino refresco herramienta tarta regadera

hielo

topo

copa

sacacorchos

garaje

iglesia

Bajo una enorme sombrilla,
se celebra una barbacoa de maravilla.

85

¿Cómo estás?

hambriento

débil

despistada

contenta

concentrado

feliz

asustado

aburrido

alegre

pensativo

fuerte

empachado

triste

tímido

sano

cansado

mareado

deprimida

dormido

enfadada

antifaz

luna

bizcocho

pintalabios

pájaro

corona

flecha

parche

cable

princesa

arco

peineta

Los disfraces

golosinas   pirata   varita   farolillo   espada   castillo   guitarra

Nuestros amigos celebran una preciosa fiesta de disfraces.
Se puede ver de todo: coronas, varitas, espadas y antifaces.

guitarra

guardián

regalos

pañuelo

bigote

indio

89

Índice de Palabras

 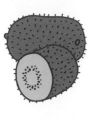   

burbujas	8	cansado	87	cerdo	52	cocinar	77
buzón	41	cantante	21	cereales	12	cocinero	20
		cantar	76	cerezas	36/59	coco	35
C		caqui	64	cero	42	cocodrilo	61
caballete	47	caracol	62	cerradura	40	codera	68
caballo	57	caracola	74	césped	84	codo	55
cabaña	57	caravana	32	cesta	50	cohete	32
cabeza	55	carboncillo	16	cesto	59	cojín	81
cable	88	careta	47	chaleco	25	colchón	6
cabra	57	carne	38	champiñón	34	colchoneta	26/74
cacahuete	36	carnicería	38	champú	9	colegio	23
cacatúa	60	carnicero	39	chancletas	25/75	coliflor	58
cadena	68	carpeta	14	chándal	27/25	collar	14
cafetera	10	carpintero	20	chaqueta	24	colonia	9
caja	70	carrera de lanchas	29	chimenea	52	comer	76
calabaza	58	carreta	50	chimpancé	60	cometa	23
calamar	78	carretilla	52	chocolate	12	comida	70
calcetín	7	carro	33	chófer	40	compás	17
calcetines	24	carroza	33	chorizo	38	concentrado	86
calculadora	19	carruaje	32	chuleta	38	concha	74
calendario	26	carta	41	ciclismo	29	conducir	76
caliente	72	cartel	30	ciclomotor	33	conejo	56
calle	40	cartera	15	ciempiés	63	congelador	38
calzoncillos	24	cartero	41	cien	43	conservas	37
cama	7	casa	84	científica	20	contenta	86
camarera	21	cascada	67	ciervo	67	copa	85
cambio	69	casco	24	cigüeña	51	coral	79
camello	33	caseta	52	cinco	42	corbata	46
camión	40	castañuelas	83	cincuenta	43	corcho	62
camisa	25	castillo	89	cinta	27	corona	88
camiseta	26	catamarán	33	cinturón	27	corral	52
campana	23	cazuela	10	círculo	44	correr	76
campo	56	cebolla	58	cisne	63	cortacésped	84
caña	63	cebra	61	cisterna	8	cortina	8
canario	60	cejas	54	ciudad	46	cortinas	7
canasta	22	celeste	65	clarinete	82	corto	45
candado	68	cemento	40	clase	14	cosecha	58
cangrejo	79	cencerro	56	coche	30	cosechadora	58
canguro	61	cepillo	9	cochecito	33	costilla	38
canicas	23	ceras	16	cocina	10	crema	65

91

golf	29	higo	37	julio	49	linterna	7
golondrina	62	hípica	28	junco	53	liso	44
golosina	36	hipopótamo	60	junio	48	llama	60
golosinas	89	hockey	29			llanta	68
goma	16	hoja	46	**k**		llave	81
gordo	44	hombro	55			llavero	81
gorra	22	hormiga	60	kiosco	41	lleno	72
gorro	39	hornillo	19	kiwi	35	llorar	77
gráfica	18	horno	10	koala	60	lluvia	49
granate	64	hucha	6			lombriz	62
grande	72	huerta	51	**l**		lucha	29
granero	52	huevo frito	10			luna	88
granizo	48	huevos	39	laboratorio	18	luz	69
granja	50	humo	40	labrador	51		
granjera	53			ladrillo	41	**m**	
grifo	9	**i**		lagartija	46		
gris	64			lago	62	maceta	31
guadaña	59	iglesia	85	lámina	17	machete	38
guante	59	impala	61	lámpara	7	maestra	20
guantes	24	indio	89	lancha	33	magdalena	12
guardabarros	69	inflador	68	langosta	78	maillot	68/27
guardián	89	inodoro	8	lápiz	15	maíz	58
guisantes	37	insecto	18	largo	45	malabarista	21
guitarra	89	invierno	48	lavabo	9	mando	80
gusano	52	isla	79	lavavajillas	11	mango	36
				lazo	84	manillar	69
h		**j**		leche	13	mano	55
				lechuga	35/59	mantel	13
habitación	6	jabalí	67	leer	76	mantequilla	12
hacha	50	jabón	9	leña	50	manzana	35
halterofilia	28	jamón	39	lentejas	36	mapa	14
hamaca	84	jardín	47	lento	73	maracas	82
hambriento	86	jarra	71	león	60	mareado	87
hamburguesa	39	jaula	19	libélula	62	marengo	65
hélice	63	jersey	24	libreta	19	margarita	56
helicóptero	30	jirafa	61	libro	81	marinero	21
herramienta	85	judías	36	lienzo	46	mariposa	56
hexágono	45	judo	29	lima	37	mariquita	56
hielo	85	jugar	77	limón	34	marmita	71
hierba	57	juguete	7	limpio	72	marrón	64

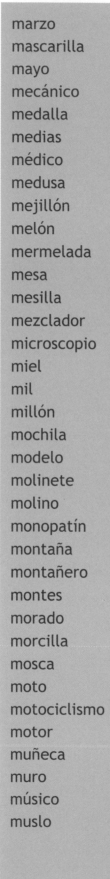

marzo	48			oveja	57	paté	39
mascarilla	18	**n**		ovni	32	patinaje	28
mayo	48					patinar	76
mecánico	21	nabo	34	**p**		patines	46
medalla	26	naranja	35			patinete	33
medias	24	nariz	54	paja	52	pato	53
médico	21	natación	28	pajarita	25	pavo	50
medusa	79	natillas	13	pájaro	88	payaso	47
mejillón	79	nave	32	pala	41	pecera	81
melón	35	negro	64	paleta	16	pecho	54
mermelada	13	nenúfar	62	paletilla	40	pedal	68
mesa	19	nido	46	palillos	12	pegamento	14
mesilla	6	nieve	71/48	palisandro	65	peine	9
mezclador	17	notas	82	palmera	79	peineta	88
microscopio	19	noveno	43	paloma	40	pelo	54
miel	53	noviembre	49	palomar	53	pelota	84
mil	43	nube	67	palomitas	37	peluche	7
millón	43	nudo	26	pamela	74	pensativo	86
mochila	67	nueve	42	pan	71	pentágono	45
modelo	16	nuevo	73	panadero	21	peonza	22
molinete	23	número	42	pandereta	83	pequeño	72
molino	58	nutria	67	pantalón	25	pera	34
monopatín	47			pañuelo	89	percha	7
montaña	66	**o**		papel	8	periódico	41
montañero	66			parabólica	23	perla	79
montes	57	oca	52	paraguas	71	perro	56
morado	64	ocho	42	paragüero	70	persiana	15
morcilla	39	ocre	65	parapente	33	pértiga	26
mosca	62	octavo	43	parche	88	pesas	26
moto	30	octubre	49	pared	41	pescador	63
motociclismo	29	ojo	55	pareo	24	pescar	76
motor	63	óleo	17	parque	46	pesquero	78
muñeca	55	ombligo	54	parrilla	68	pestillo	52
muro	22	ondulado	44	partitura	82	pez	75
músico	21	ordenador	14	paso de cebra	30	pez espada	78
muslo	39	oreja	55	pasta	9	piano	83
		oso	66	pastel	12	pico	50
		ostra	78	pastelito	22	pie	54
		otoño	49	pastor	57	pienso	53
		ovalado	44	patata	35	pierna	54

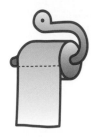

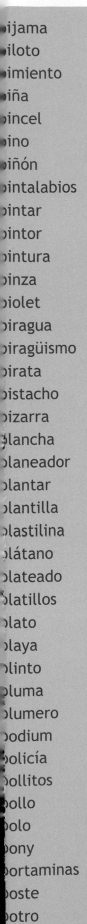

ijama	7	pozo	51	recreo	22	salmón	67
iloto	21	pradera	56	recta	44	salón	80
imiento	35	primavera	48	rectángulo	44	saltamontes	56
iña	35	primero	42	redil	56	salto	26
incel	47	princesa	88	reflector	68	saludar	77
ino	67	prismáticos	66	refresco	85	salvavidas	74
iñón	68	probeta	19	refugio	70	sandía	35
intalabios	88	profesora	14	regadera	85	sándwich	23
intar	76	proyector	15	regalos	89	sano	87
intor	46	puchero	11	regar	76	sapo	59
intura	17	puente	67	regla	14	sardina	79
inza	25	puerro	34	reir	76	sartén	11
iolet	66	puerta	81	reloj	22	saxofón	83
iragua	32	pulpo	78	remo	62	secretaria	20
iragüismo	28	pulverizador	80	remolque	50	segundo	42
irata	89	puntafina	16	renacuajo	18	seis	42
istacho	64	pupitre	15	repollo	50	semáforo	31
izarra	19	puzzle	14	retrato	71	semillas	58
lancha	10			revista	47	señal	30
laneador	59	**q**		rocas	66	septiembre	49
lantar	76			rodilla	55	séptimo	43
lantilla	17	queso	39	rodillera	68	serpiente	60
lastilina	15	quetzal	60	rodillo	11	serrucho	51
látano	35	quinientos	43	rojo	65	servilleta	12
lateado	65	quinto	42	rombo	45	servilletas	84
latillos	82	**r**		rosa	65	setas	66
lato	13			rosal	84	sexto	43
laya	74	radio	71	rotonda	31	siete	42
linto	27	radiocassette	81	rotulador	17	silbato	27
luma	66	rama	56	rueda	31	silla	71
lumero	80	rana	62	rugby	29	sillín	68
odium	27	rape	78	rugoso	45	sillón	80
olicía	31	rápido	73			silo	53
ollitos	53	raqueta	75	**s**		sofá	81
ollo	38	rastrillo	53			sol	58/49
olo	25	ratón	51	sacacorchos	85	sombrero	47
ony	51	rayo	71	sacapuntas	16	sombrilla	75
ortaminas	16	rebaño	57	saco	41	sopa	37
oste	84	recogedor	11	salchicha	39	soplar	77
otro	56	recolectora	59	salero	10	subir	72

submarino	33	tocar	77				
sucio	72	tocineta	38	**U**		**W**	
sujetador	25	todoterreno	32				
		toldo	40	uña	54	waterpolo	29
t		tomate	34	uno	42		
		topo	85	urraca	59	**X**	
tablero	11	torcido	73	uva	58		
taburete	8	tormenta	48			xilófono	82
taco	68	tornado	48	**V**			
tambor	82	tortuga	78			**Y**	
tarro	19	tostada	11	vaca	56		
tarta	85	tostadora	10	vacío	72	yak	60
taxi	40	tractor	50	vagón	46	yate	75
taza	12	traje	25	vajilla	13	yogur	12
teclado	83	trampolín	27	valla	26/84	yoyó	22
tejado	50	transportador	17	válvula	69		
tejón	66	tranvía	32	varita	89	**Z**	
teléfono	80	trapo	81	vaso	12		
televisor	81	trasatlántico	74	veinte	43	zanahoria	35
témpera	16	trasero	54	vela	80	zapatillas	6
témperas	15	treinta	43	velero	74	zapatos	6
tenedor	13	tren	47	veleta	53	zepelín	33
tenis	28	tres	42	velomar	75	zorro	57
tercero	42	triángulo	45	vender	77	zumo	13
termómetro	19	triciclo	33	ventana	7		
tesoro	79	trineo	70	verano	49		
tetera	70	triste	87	verde	64		
tetrabrik	11	trofeo	6	verduras	34		
tiburón	61	trombón	83	vestido	24		
tijeras	14	trompeta	82	vid	59		
timbre	69	tropezar	77	video	80		
tímido	87	trucha	62	viejo	73		
tinta	17	tubería	40	viento	67/49		
tiralíneas	17	tubo	18	vino	85		
tirantes	24	tuerca	69	violeta	64		
tiza	19	tumbona	75	violín	82		
toalla	8	turquesa	65	violonchelo	83		
toallero	9	turrón	36	volante	31		
tobillo	55			voleibol	28		
tobogán	22